Mi Prim...
de M...

75 Cantos Bíblicos y su significado

Texto por Karyn Henley

Ilustraciones por Dennas Davis

Creado y editado por
Randall Dennis

Traducido al español por
Lilia Pardo y Sarai León

Adaptación musical
Lizet Rangel

Sparrow Press
Nashville, Tennessee

PROLOGO

(1a Cor. 14:15)

Nosotros crecimos cantando preciosísimos cantos, himnos y canciones espirituales. Cantábamos en el espíritu "Loores dad a Cristo el Rey" "Santo, Santo, Santo, Señor Omnipotente" y "Sublime gracia que a mí, pecador salvó".. pero, ¿qué era lo que significaban?

En Navidad cantábamos de la "Noche de paz, noche de amor" y de "Oíd un son en alta esfera" y de "Belén durmiendo en dulce paz". Sí, cantábamos en el espíritu. Pero el entendimiento se quedaba atrás.

Ahora con nuestros hijos nos podemos dar cuenta cómo en realidad no entendíamos lo que cantábamos. Los niños no entienden los simbolismos de las letras de las canciones hasta que tienen alrededor de los ocho años.

En *Mi Primer Libro de Música*, le damos canciones a los niños que pueden cantar en el espíritu y también explicaciones claras para que puedan cantar con el entendimiento. Esperamos que tanto padres como hijos encuentren en *Mi Primer Libro de Música* el primer paso hacia...

- usar un libro de música para alabanza y adoración
- aprender a entender y atesorar la música de la iglesia,
- expresar desde el corazón el amor hacia el Señor,
- cantar con el entendimiento.

Y que este sólo sea el primer paso.

Por la gracia de Dios y para Su gloria,
Randall Dennis y Karyn Henley

Explicación de los símbolos

 Pueden ser acompañados con acciones

 Pueden ser cantadas en rueda

 Pueden cantarse acompañadas de una historia o lección Bíblica

 Pueden ser acompañados con instrumentos musicales

Indices al final del libro. Algunas notas pueden variar en el cassette para hacerse más fáciles.

1 Una Fuente en Mí

Hay en mí, Hay en mí, U - na

fuen - te que flu - ye sin ce - sar.

Hay en mí, Hay en mí, U - na

fuen - te que flu - ye sin ce - sar.

El amor de Dios es como una fuente.

Las fuentes arrojan agua fresca para beber cuando estamos acalorados y cansados.

Algunas veces nos sentimos cansados por dentro, en nuestro espíritu.

Nuestro espíritu es la parte de nosotros que se siente feliz o triste.

Nuestro espíritu puede sentir el amor de Dios.

El amor de Dios da a nuestro espíritu nuevas energías.

El amor de Dios es profundo y ancho.

Hay suficiente para todos.

"Oro para que entiendas lo largo, lo alto, lo profundo y lo ancho que es el amor de Jesús."

Efesios 3:17-18 (parafraseado).

"Una Fuente en Mi"
Traducción por Lilia Pardo
©1995 Cedarmont Music/ASCAP
Todos Los Derechos Reservados. Usado con permiso.

2 Aleluya, Gloria a Dios

¡A - le - lu, A - le - lu, A - le - lu, A - le - lu - ya!

¡Glo - ria a Dios! ¡A - le - lu, A - le - lu, A - le -

lu, A - le - lu - ya! ¡Glo - ria a Dios! ¡Glo - ria a

Dios, A - le - lu - ya! ¡Glo - ria a Dios, A - le - lu - ya!

¡Glo - ria a Dios, A - le - lu - ya! ¡Glo - ria a Dios!

Aleluya significa "¡Alaba al Señor!"
Los papás y mamás alaban a sus hijos.
Los maestros alaban a los alumnos en la clase.
Dicen: "Hiciste un gran trabajo,
¡eres lo máximo!"
Nosotros alabamos a Dios.
"Señor, hiciste un gran trabajo,
¡eres super! ¡Aleluya!"

"Te exaltaré, alabaré tu nombre,
porque has hecho maravillas."

Isaías 25:1

3 Soldado Soy de Jesús

Yo no es - toy en la in - fan - te rí___ a

Ca - ba - lle - rí___ a, Ar - ti - lle - rí___ a,

Ni un a - vión yo voy pi - lo - tean___ do

Fine

Pe - ro sol - da - do soy. (¡Oh sí!)

Pe - ro sol - da - do soy. (¡Oh sí!)

D.C. al Fine

Pe - ro sol - da - do soy. (¡Oh sí!)

La infantería está formada por soldados que
corren y pelean sobre el suelo.
La caballería está formada
por soldados que andan y pelean en caballos.
La artillería son arcos, flechas y pistolas.
Nosotros somos parte del ejército del Señor.
Peleamos contra el mal en el mundo,
pero sin arcos, flechas o pistolas.
Nosotros usamos nuestra espada,
la palabra de Dios.
Dios nos dice que obedezcamos a papá y mamá,
que digamos la verdad y que compartamos
lo que tenemos.
La palabra de Dios nos ayuda a escoger
lo que es bueno.

"[Tomen] la espada del Espíritu,
que es la palabra de Dios."

Efesios 6:17

4 Nuestro Padre Abraham

Nues-tro Pa-dre A-braham   tie-ne mu-chos, mu-chos

hi - jos   nues - tro   Pa - dre A- braham,   U - no

de e-llos soy   i-gual que   tú. Ven can-ta tú tam-bién.

1. ¡Mano derecha!
2. ¡Mano izquierda!
3. ¡A sentarse!

Abraham vivió hace mucho.
Dios prometió darle un hijo.
Pasó mucho tiempo y no llegaba el niño.
Pero Abraham sabía que Dios
cumple sus promesas.
Dios bendijo a Abraham por creer en él.
Dios le dio un bebé, un niño.
Este niño creció y tuvo muchos hijos.
Nosotros creemos en Dios como
Abraham lo hizo.
Creemos que Dios cuidará de nosotros tal
como lo prometió.
Así que somos como la familia de Abraham.
Podemos llamarlo "Padre Abraham".

5 Hay una Luz en Mí

Hay u-na luz en mí, Que de-ja-ré bri-llar.

Hay u-na luz en mí, Que de-ja-ré bri-llar bri-lla-

rá, bri-lla-rá, bri-lla-rá.

2. No esconderé su brillo,¡No! La dejaré brillar

3. ¡El diablo no la robará! La dejaré brillar.

Jesús nos llamó la luz del mundo.
Podemos hacer lo bueno y correcto.
Somos como una luz que brilla para ayudar a
otros a ver cómo es Jesús.
No escondemos la bondad de Jesús.
Nuestra luz no está debajo de una canasta.
El diablo trata de hacernos pensar que
hacer el bien no sirve.
Pero el diablo no va a apagar nuestra luz.
¡Vamos a dejarla brillar!

"Hay Una Luz En Mi"
Traducción por Lilia Pardo
©1995 Cedarmont Music/ASCAP

6 Cuidado mis Ojitos al Mirar

Oh, cui - da - do mis o - ji - tos al mi - rar, Oh, cui -
da - do mis o - ji - tos al mi - rar, Por - que
Dios con - mi - go es - tá Y El to - do mi - ra - rá, Oh, cui -
da - do mis o - ji - tos al mi - rar.

2. Oh, cuidado mis manitas al tocar.

3. Oh, cuidado mis piesitos donde van.

Nuestro Padre celestial es Dios.
El es tierno, dulce y amoroso.
El ve lo que hacen nuestras manos.
El ve hacia dónde van nuestros pies.
El sabe lo que vemos y oímos.
El escucha lo que decimos.
Dios sabe que seremos felices si
escogemos lo correcto.
Así que seamos cuidadosos para ver,
escuchar, decir y hacer lo que Dios quiere.

"Cuidado mis Ojitos al Mirar"
Traducción por Lilia Pardo
©1995 Cedarmont Music/ASCAP
Todos Los Derechos Reservados. Usado con permiso.

7 Mi Dios es tan Grande

¿Qué es el trabajo manual de Dios?
Es el trabajo que Dios hace con Sus manos.
Dios hizo las montañas con Sus manos.
El hizo los valles con Sus manos.
El hizo las estrellas con Sus manos.
Ese es Su trabajo manual.
¿Qué otras cosas son el trabajo
manual de Dios?

"Mi Dios es tan Grande"
Traducción por Lilia Pardo
©1995 Cedarmont Music/ASCAP
Todos Los Derechos Reservados. Usado con permiso.

8 Zaqueo

Za- que - o e - ra un hom bre - ci - to a - sí, pe-que-

ñi - to en ver - dad, En - ton - ces él a un ci -

co- mo- ro su - bio pa - ra po - der ver a Je - sús; El

Sal - va - dor le vio a - llí y son - rien - do se a - cer -

(hablado)

có Y le dijo: "Zaqueo, ¡BAJA YA! A tu

ca sa voy a ir, A tu - ca sa voy a - ir."

Jesús quiere que estemos llenos de gozo.
Pero cuando pecamos y hacemos cosas
malas, nos llenamos de tristeza
y preocupación.
Así que Jesús vino para ser nuestro Salvador.
Nos salva al ayudarnos a hacer lo correcto.
Nos salva al perdonarnos cuando
hacemos cosas malas.
Jesús era el Salvador de Zaqueo.
El es nuestro Salvador también.

"Zaqueo"
Traducción por Lilia Pardo
©1995 Cedarmont Music/ASCAP
Todos Los Derechos Reservados. Usado con permiso.

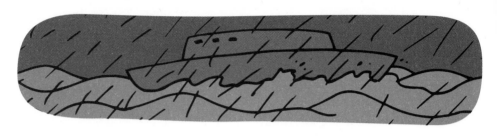

9 ¿Quién Hizo el Arca?

¿Quién hi - zo el ar - ca? ¡No - é! ¡No - é!

¿Quién hi - zo el ar - ca? El buen No - é la cons - tru - yó.

Un hom - bre fiel que to - do o be - de - ció, y de

fi - na ma - de - ra el ar - ca que - dó. Las me - di - das que

Dios le dió cum - pli - das fue - ron y sal - vó su crea - ción.

Las personas que aman a Dios son Sus hijos,
aunque ya hayan crecido.
Y si la gente de Dios son Sus hijos, entonces
todos somos hermanos y hermanas.
Noé amaba a Dios.
El era uno de los hijos de Dios, como yo.
Así que puedo llamar hermano a Noé.
¿Quién hizo el arca?
El buen "hermano" Noé la construyó.

10 No Tengo Oro ni Plata

Pe - dro y Juan van a o rar; Y

vie - ron a un co - jo ve - nir, li -

mos - na - les pi- de y ex - tien-de sus ma-nos y

Pe - dro le ex pre - só a él._____

"O - ro y Pla - ta no ten - go Pe -

ro lo que ten - go te doy, en el

nom - bre de Cris-to el Sal - va - dor tu a-

ho - ra po - drás ca - mi - nar." Fué sal -

tan - do, brin - can - do a la - ban - do a Dios, en - tre

sal - tos y brin - cos a - la - ba a Dios, "En el

nom - bre de Cris-to el Sal - va - dor fe -

FINE

liz a - quel, hom - bre se fué." Fué sal -

11 Levántate y Brilla

Can-ten y bri-llen y den-le a Dios la glo-ria, glo-ria,

a-mén y bri-llen y den-le a Dios la glo-ria, glo-ria,

rí-an y bri-llen y den-le a Dios la glo-ria, glo-ria,

ni - ños del Se - ñor. -

Cuando está oscuro, una luz deja ver
todo claramente.
La gloria es algo así.
Cuando una persona tiene gloria,
se ve como si fuera el mejor.
Pero nadie es en realidad el mejor.
Dios es el mejor.
Somos como una luz que brilla para
que las personas puedan verlo claramente.
Le damos la gloria al hablar de las
cosas maravillosas que ha hecho.

12 Cristo, Cristo

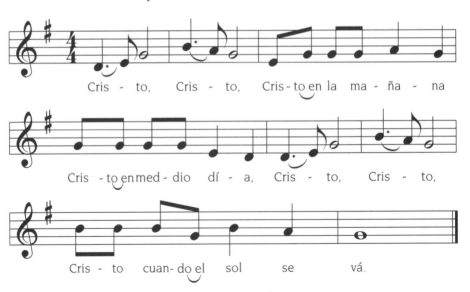

Cris - to, Cris - to, Cris - to en la ma - ña - na

Cris - to en med - dio dí - a, Cris - to, Cris - to,

Cris - to cuan - do el sol se vá.

13 Voy a Cantar, Voy a Saltar

A can - tar, can - tar, can - tar, a sal -

tar, gri - tar, go - zar. A can - tar, A sal - tar, ¡Glo - ria a

Dios! Pues las puer - tas se a- bren ya, y a Su

la - do voy a es tar, yo can - ta -

ré y sal - ta - ré "¡Glo - ria a, Dios!"

Algún día, Dios abrirá las puertas de Su
Ciudad Santa, perfecta y especial.
Podemos entrar y vivir con Jesús.
Su trono estará allí.
No habrá dolor o llanto.
Todo será hecho nuevo.
Allí no habrá noche.
El Señor Dios nos dará luz.
Cuando las puertas se abran,
cantaremos y gritaremos: "¡Gloria a Dios!"

14 La B-I-B-L-I-A

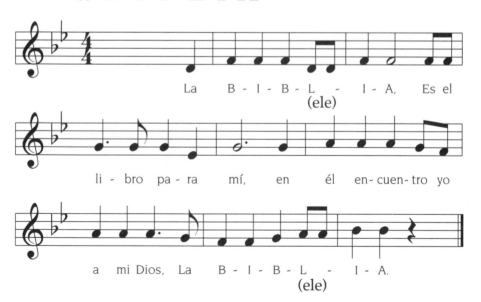

La B - I - B - L - I - A, Es el
(ele)

li - bro pa - ra mí, en él en - cuen - tro yo

a mi Dios, La B - I - B - L - I - A.
(ele)

B-I-B-L-I-A son las letras de Biblia.
Llamamos a la Biblia "La Palabra de Dios".
En la Biblia leemos acerca
del cuidado de Dios.
Sólo El nos puede decir cómo
escoger lo que es bueno y correcto.
Así que escogemos obedecer sólo a Dios.
Aunque otras personas traten de que
hagamos cosas malas, obedecemos
sólo a Dios.
Queremos obedecerlo.
Al leer la Biblia sabemos quién es El,
podemos obedecer Su palabra.

"La B-I-B-L-I-A"
Traducción por Lilia Pardo
©1995 Cedarmont Music/ASCAP
Todos Los Derechos Reservados. Usado con permiso.

15 Qué Poderoso es El

¡Qué gran— de Dios es El!

¡Po - de - ro - so Dios es El! Los

án - ge - les le a- la—ban, el cie - lo y la Tie—rra,

¡Qué Po - de - ro - so es El!

Cuando ayudamos a la gente, estamos sirviendo.
Podemos servir a nuestro poderoso Dios también.
Cuando somos amables con la gente,
cuando ponemos la mesa, cuando
traemos el biberón del bebé,
estamos sirviendo a Dios.
Si servimos a Dios, mostramos que lo amamos.
Es parte de nuestra adoración.
Si amamos y obedecemos a Dios, lo
estamos adorando.
Los ángeles adoran a Dios, y nosotros también.

16 Libros del Antiguo Testamento

Gén - e- sis, Ex - o- do, Le - ví - ti- co Nú - me - ros

Deu - te - ro - no - mio, Jo sué Jueces - Ruth,

U - no y dos Sa- muel, U - no y dos de Re—yes

U - no y dos de Cró - ni - cas

Es - dras Nehe - mí - as, Es ther y - Job

Sal - mos, Pro- ver - bios, E- cle - sias - tés

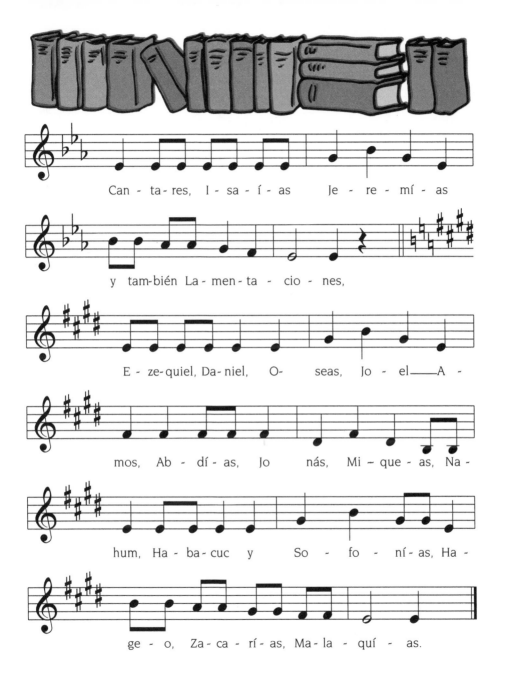

17 Libros del Nuevo Testamento

18 Ven, Bendice al Señor

Ben- di-cen a   Dios,   To-dos los sier-vos del Se   ñor

No-che y   Dí - a   En la ca-sa del Se - ñor

Un amo o señor pone las leyes.
Un siervo obedece.
Jesús es nuestro Señor.
Nosotros somos Sus siervos
Lo amamos y obedecemos.
Lo amamos mucho, y le pedimos que
venga a vivir en nosotros.
Nos convertimos en Su casa.
Su casa es un lugar especial y santo.
Día y noche bendecimos a Jesús.
Lo alabamos porque es un buen Señor.

Al - za tus   ma - nos   Ha cia, el San - to Lu   gar,

y Ben - di - ce a   Dios,   Ben - dí - ce - lo.

19 Yo Tengo Gozo

Yo ten - go go-zo, go-zo, go-zo, go-zo en mi co-ra-zón (dónde)

En mi co - ra - zón En mi co - ra - zón, Yo ten - go

go - zo, go - zo, go - zo, go - zo, En mi co - ra - zón

Por-que Cris-to vi-ve en mí Es-toy go-zo-so, To-do es her - mo-so, El

vi - ve a-ho - ra en mi co - ra - zón (Por siem pre ¡sí!) Es - toy go -

zo - so Soy tan di - cho-so, Su a - mor y Sal-va-ción me re-ga- ló.

2. Yo tengo amor eterno en mi corazón.

El gozo es un sentimiento de
felicidad en nuestro corazón.
La paz es un sentimiento de descanso
y tranquilidad, sin
preocupaciones o angustias.
Dios da paz, aunque estemos tristes.

La gente no puede entenderlo.
Está más allá de su comprensión.
Pero Jesús es nuestro Redentor.
El murió por nosotros.

Así, Dios nos compró para que
pudiéramos ser Sus hijos.
Ahora que somos Sus hijos, tenemos gozo,
 paz y amor en nuestro corazón.

"Yo Tengo Gozo"
Traducción por Lilia Pardo
©1995 Cedarmont Music/ASCAP
Todos Los Derechos Reservados. Usado con permiso.

20 Dios Me Hizo a Mí

Dios me hi-zo a mí,
Dios me hi-zo a mí,

En la Bi-blia que es mi Li-bro di-ce a sí.

2. Dios me ama a mí.

3. Dios cuida de mí.

Dios me hizo.
Dios me ayuda.
Dios me cuida.
Me protege.
Me cuida en Sus manos.
Nunca dejará de amarme.
Me guarda en Su amor para siempre.

"Jehová te guardará de todo mal;
El guardará tu alma.
Jehová guardará tu salida y tu
entrada desde ahora y para siempre."

Salmos 121:7,8.

21 Su Bandera Sobre Mí es Amor

El Se - ñor es mí - o y yo de El —— Su ban-

de - ra so - bre mí es a - mor, El Se - ñor es mí - o y

yo de El —— Su ban - de - ra so - bre mí es a - mor, El Se-

Una bandera es un símbolo.
Hace mucho tiempo, cuando un rey
llevaba a su ejército a pelear, el
ejército llevaba su bandera.
Todos los que estaban bajo esa
bandera estaban de su lado.
Jesús es nuestro Rey.
Su bandera es el amor.
Cuando compartimos nuestro almuerzo
o nuestros juguetes, o cuando decimos
palabras amables, mostramos amor.
Cuando mostramos amor, es como
llevar una bandera.
Nuestro amor muestra que estamos
del lado de Jesús.

ñor es mí- o y   yo de El— Su ban - de- ra so-bre mí es   a -

mor,   Su ban - de - ra   So-bre   mí es   a -   mor—

2. Estoy invitado a su banquete

22 Oh, Cuánto Amo a Cristo

Oh, Cuán - to a - mo a Cris - to, Oh,
cuán - to a - mo a Cris - to Oh, cuán - to a - mo a
Cris - to, Por - que El pri - me - ro me a - mó.

Sonreímos cuando escuchamos el
nombre de alguien especial.
Nos gusta pensar en esa persona.
Sonreímos al escuchar el nombre de Jesús.
El es especial, como un tesoro.
Un tesoro vale mucho.
Siempre quieres tenerlo contigo.
Así es con Jesús.
¡Nos gusta cantar de Su alto valor!

23 Una Dulce Oración

Yo o - ro por la ma - ña———— na.

Yo o - ro por la tar———— de.

Las guitarras pueden producir bella música.
Las trompetas pueden producir bella música.
Los pianos pueden producir bella música.
Pero algunas veces se desafinan.
Las notas no suenan bien.
Tienen que ser afinados para que
suenen bien otra vez.
Cuando pensamos y hacemos cosas buenas,
nuestros corazones están afinados.
Cuando hacemos lo malo,
estamos desafinados.
La oración nos ayuda a pensar
y hacer el bien.
Nos ayuda a mantener nuestro corazón afinado.

Sua - ve o - ro en la no——— che, Co -

mo u - na can - ción a Tí.———

"Una Dulce Oración"
Traducción por Lilia Pardo
©1995 Cedarmont Music/ASCAP

24 Jesús me Ama

Soy tan fe - liz me a - ma Je - sús,

Me a - ma Je - sús, Siem - pre lo ha - rá,

Soy tan fe - liz me a - ma Je - sús,

tam - bién te a - ma a tí.

Jesús ama a todos.
Jesús ama a los papás y mamás,
abuelitos y abuelitas,
tíos y tías, niños,
niñas y bebés,
y también a mí.

25 Cantemos Alegremente al Señor

La Biblia dice que Dios es amor.

La Biblia dice que el amor es paciente y amable.

El amor se preocupa por la gente.

El amor no se acaba nunca.

Dios es amor, así que El es paciente y amable.

El nos cuida.

¡ El nos amará para siempre !

26 Todos Juntos Cantemos al Señor

Can - ten to- dos   jun - tos   del   a -   mor del Se -
ñor,   "A - le - lu - ya,   A - le - lu - ya".

Cuando damos gloria a alguien, le decimos
que hizo un trabajo maravilloso.
Le decimos que es grandioso.
Cuando alabamos a Dios, le decimos
que ha hecho cosas maravillosas.
Dios cuida de nosotros.
Dios nos da alimento para comer,
flores para oler, pájaros para escucharlos cantar,
¡arena para enterrar nuestros pies en ella!
¡Dios es el más grandioso de todos!
¡Todos juntos cantemos al Señor!

27 El Señor es Mi Pastor

Je - sús me pas - to - re - a Ca -

mi - no yo con El Me guí - a en sus pra -

de - ras, Ca - mi - no yo con El. Con

Un pastor cuida a sus ovejas.
Jesús nos cuida.
Así que somos como Sus ovejas,
y El es nuestro pastor.
Nos da alimento para comer y agua para beber.
Nos da tiempo de descanso.
El siempre está con nosotros.
El sabe lo que es mejor para nosotros.
Cuando nos dice que compartamos lo
que tenemos y seamos amables,
sabe que eso nos hará felices.
El es un buen pastor.

"El Señor es mi pastor; nada me faltará."

Salmo 23:1

El, Con El, Ca - mi - no yo con El, Con

El, Con El Ca - mi - no yo con El.

"El Señor es Mi Pastor"
Traducción por Lilia Pardo
©1995 Cedarmont Music/ASCAP
Todos Los Derechos Reservados. Usado con permiso.

28 Cristo Ama a los Niños

Cris - to a - ma a los ni - ños,

Pues los ni - ños son de El, No le im-

Un bello anillo es precioso.
Es como un tesoro.
Tu osito de peluche favorito es precioso.
Para Jesús, los niños son preciosos.
Jesús los ve así: los niños son como tesoros.
Son preciosos a Sus ojos.

"Dejen a los niños venir a mí," dijo
Jesús "Y tomándolos en los brazos,
poniendo las manos sobre ellos, los bendecía."
Marcos 10:14,16

por - ta tu co - lor, só - lo quie - re tu a - mor, Cris - to

a - ma a los ni - ños por i - gual.

29 Tengo Paz Como un Río

Ten - go   paz   co - mo un   rí - o,   Ten - go

paz   co - mo un   rí - o,   Ten - go   paz   co - mo un

rí - o en mi   ser. ——— Ten - go   paz   co - mo un

ngo Paz Como un Rio"
ducción por Lilia Pardo
995 Cedarmont Music/ASCAP
ios Los Derechos Reservados. Usado con permiso.

Muy dentro de mí, en mi alma,
Dios ha puesto paz, un sentimiento
de calma y descanso.
La paz es como un río corriendo en mí.
Dios me da gozo, un sentimiento feliz.
El gozo es como una fuente burbujeando en mí,
salpicando sonrisas en mi cara.
Dios me da amor, un sentimiento cálido.
El amor hace que yo quiera ayudar a
otros y hacer cosas buenas para ellos.
El amor es como un gran océano
¡que me llena y se derrama sobre los demás!

2. Y una fuente de gozo.   3.Grande amor como el mar.

30 Una Puerta, Sólo Una

U - na puer - ta só - lo u - na, y la - dos tie - ne dos,

Den - tro o, a - fue - ra, ¿De qué la - dos, es tás?

Dios es perfecto, justo y bueno.
El es el Rey de un reino perfecto.
Nada malo puede vivir allí.
Algunas veces hacemos cosas malas.
Pero Dios envió a Jesús para llevar
la culpa por esas cosas malas.
El llevó nuestra culpa como si fuera suya.
Eso nos hace perfectos, justos y buenos.
Ahora podemos entrar al reino
perfecto de Dios.
Jesús es como la puerta para entrar allí.
El es el camino para llegar a Dios.

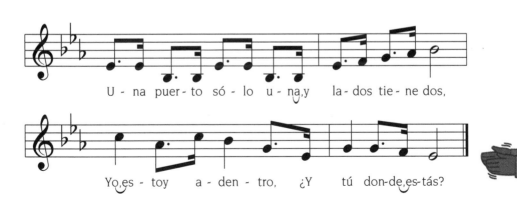

U - na puer - to só - lo u - na, y la - dos tie - ne dos,

Yo es - toy a - den - tro, ¿Y tú don-de es-tás?

31 Kum Ba Yah

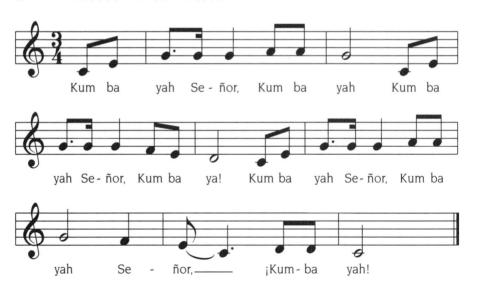

Kum ba yah Se - ñor, Kum ba yah Kum ba

yah Se - ñor, Kum ba ya! Kum ba yah Se - ñor, Kum ba

yah Se - ñor, ——— ¡Kum - ba yah!

Kum ba yah es una forma
africana de decir "Ven".
Es una manera de pedir a
Jesús que esté con nosotros.
Cuando estamos tristes y lloramos, podemos
pedirle a Jesús que esté con nosotros.
El sabe lo que es llorar.
Cuando estamos felices y reímos,
podemos pedirle a Jesús que
esté con nosotros.
El ríe también.
Cuando cantamos y oramos,
podemos pedirle a Jesús
que esté con nosotros.
"Ven, Señor. Kum ba yah".

32 Cristo me Ama

Cris-to me a-ma, yo lo-sé, Pues la Bi-blia di-ce que,

Los pe-que-ños son de El Y que en sus bra-zos yo es-toy.

Sí, Cris-to me a-ma, Sí, Cris-to me a-ma,

Sí, Cris-to me a-ma, ¡La Bi-blia di-ce a-sí!

La Bibia dice que Jesús ama a los niños.
El es amigo de ellos.
El quiere que los niños sepan que El los ama.
Por eso la Biblia habla del amor de Jesús.
Podemos leer en la Biblia las palabras de
Jesús para nosotros.
Nos muestran Su amor y nos enseñan
que el reino de Jesús es para niños
como nosotros.
¡Cuánto nos ama Jesús!

"Cristo me Ama"
Traducción por Lilia Pardo
©1995 Cedarmont Music/ASCAP
Todos Los Derechos Reservados. Usado con permiso.

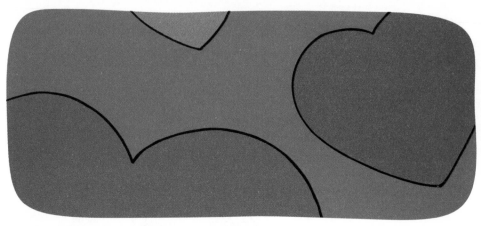

33 A mi Corazón

Vi - ve en mí, Vi - ve en mí, Te an -

he - lo te - ner por siem - pre. Te

quie - ro hoy, ven por fa - vor. A

mi co - ra - zón Se - ñor Je - sús.

34 Dios es tan Bueno

1.Tan bue - no es El, Tan bue - no es El,
2.Dios me ama sí, Dios me ama sí,
3.Dios cuida de mí, Dios cuida de mí.

Tan bue - no es El, Só - lo El me a - ma a - sí.
Dios me ama sí, Grande es Su amor por mí.
Dios cuida de mí, Dios es todo para mí.

35 He Aquí a la Puerta Yo Estoy

¡He a- quí, He a- quí! A la puer-ta yo es-

toy, toc, toc; ¡He a- quí, He a- quí! A

la puer-ta yo es - toy, toc, toc. Si al

gu - no o - ye mi voz, Si al gu - no o - ye mi

voz y a - bre a - bre, a - bre,

siem-pre a - hí yo vi - vi - ré.

Tu cuerpo es tu casa.
Muy adentro hay una parte especial que
te hace ser quien eres.
Jesús quiere estar contigo en tu interior,
para poder mostrarte Su amor,
y enseñarte, y cuidarte.
Es como si estuviera en la puerta de tu casa,
de tu corazón.
El llama: "Oye, ¡mira y escucha!"
Cuando lo oigas, puedes abrir la puerta al
pedirle a Jesús que entre a vivir en ti.
El promete que si se lo pides, El vendrá.

36 El Hombre Sabio y El Hombre Necio

nie - ron llu - vias el río se des-bor-dó y la

1
ca - sa no ca - yó. El

2
se ca - yó.

37 Tu Espíritu Santo Brilla en Mí

Co - mo a - cei - te en lám - pa - ra

bri - lla _____ Tu Es - pí - ri - tu San - to en
bri - lla bri - lla

mí, _____ E - se a - cei - te ja - más se ter -
a - le - lu - ya

mi - na _____ Só - lo pi - do no se a - pa - gue no.
bri - lla, bri - lla

Can - ta Ho - sa - na   Can - ta Ho - sa - na

Can - ta Ho - sa - na al   "Rey de Re - yes" Hoy

Jesús dijo una historia de diez muchachas.
Estaban esperando ir a una fiesta de boda.
Tenían lámparas, porque estaba oscuro.
Las lámparas tenían aceite y por eso brillaban.
Pero a cinco muchachas se les acabó el aceite.
Mientras iban a comprar más aceite,
la fiesta comenzó sin ellas.
Nosotros cantamos: "Como aceite en lámpara"
porque queremos decir:
"Dios, dame tu Espíritu para
que mi lámpara no se apague y
pueda obedecerte siempre,
mientras espero que

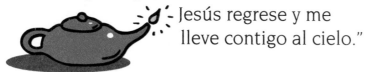 Jesús regrese y me
lleve contigo al cielo."

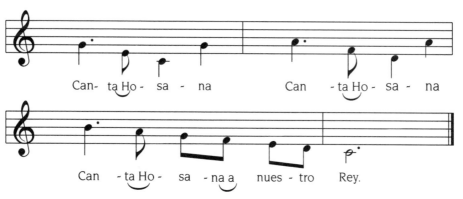

Can- ta Ho - sa - na   Can - ta Ho - sa - na

Can - ta Ho - sa - na a   nues - tro   Rey.

"Tu Espíritu Santo Brilla en Mí"
Traducción por Lilia Pardo
©1995 Cedarmont Music/ASCAP
Todos Los Derechos Reservados. Usado con permiso.

38 Da y Alegre Tu Vida Será

Dá y a - le - gre tu vi - da se - rá____

Dá y a - le - gre tu vi - da se - rá____

To - do el a - mor que tu das____ A tí ven drá

Co - se - cha - do por tu gran a - mor.____ Es me-

jor dar que tú____ re - ci bir____ Es me-

jor dar que tú____ re - ci - bir____ Es me-

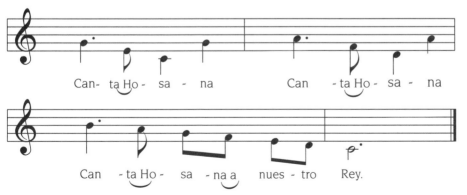

Can - ta Ho - sa - na   Can - ta Ho - sa - na

Can - ta Ho - sa - na a   nues - tro   Rey.

39 Mira las Flores

Mi - ra— las flo - res en su ves - tir———
Mi - ra— las a - ves vo - lan-do van.———

E - llas no hi - lan Y her - mo - sas son. Si
E - llas no siem-bran Y co - men bien Si

Dios las vis - te con a— mor.
Dios les dá pa - ra co - mer,

El cui— da - rá de tí. No

du - des——— No du - des———

Dios cui— da - rá de tí. No

40 Gracias por Todo, Señor

Desde que éramos bebitos en
los brazos de mamá,
Dios nos ha amado.
El nos ha cuidado.
Nos ha dado todo lo que necesitamos.
El ha hecho cosas maravillosas.
Nos ha dado muchas cosas, tantas,
que no podemos contarlas.
Son incontables.
Y todavía nos sigue dando más
porque es un Dios grande y amoroso.

41 Por todo, Gracias Señor

Mi Dios, gra - cias te da - mos por
to - da tu bon - dad, por to - do lo cre -
a —— do, y el mun - do que hoy es mi ho - gar. Por
mis pa - dres y her - ma - nos Da - mos gra - cias a mi
Dios. Por la pro - vi - ci - ón dia —— ria. Y
Tu a - mor que e - ter - no es.

42 Por tu Diaria Provisión

Por la sa - lud y el

dia - rio pan, y a - bri - go, gra - cias, Se - ñor.

43 Alabemos al Creador por Todo

A - la ben to - dos

al Crea - dor A - lá - ben - le con

gran a - mor; Can - ten al Pa - dre

Los sonidos, las formas y los colores,
los olores y sabores,
la gente especial que amamos,
todas estas bendiciones Dios las da.
Como el agua del río,
moviéndose y corriendo,
las bendiciones de Dios llegan a nosotros.
¡Por eso agradecemos a Dios y lo alabamos!
¡Las criaturas de la Tierra lo alaban!
¡Los ángeles, el ejército celestial, lo alaba!
¡Alabamos a Dios, nuestro Padre,
y a Jesús, Su Hijo,
y al Espíritu Santo de Dios!

Ce - les - tial. Al Hi - jo y al Es -

pí - ri - tu A - mén.

44 Oh Ven, Oh Ven, Emanuel

Oh ven, Oh ven E——— ma - nuel, Li - be - ra a tu pue - blo Is - ra - el, Hay gran do - lor en el e—— xi - li - o En la es - pe - ra del—— Sal - va - dor

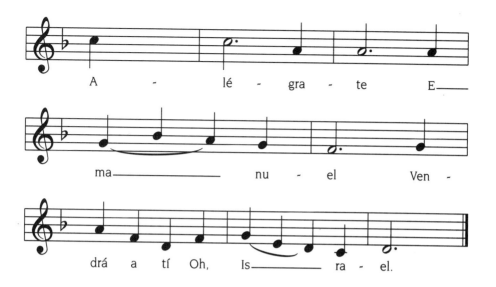

A - lé - gra - te E_____ ma_____ nu - el Ven - drá a tí Oh, Is_____ ra - el.

Jesús es Emanuel: "Dios con nosotros".
Esta es una canción del
pueblo de Dios, Israel.
Ellos piden que Jesús venga
y los rescate, que los salve.
Ellos estaban cautivos,
llenos de problemas y pecados.
Lloraban y gemían, tristes por
estar fuera de su país, lejos de Dios.
Era su culpa por hacer cosas malas.
¡Pero Jesús llevó esa culpa y
murió por ellos y por nosotros!
¡Ahora todos nos gozamos!

45 Oh Pueblecito de Belén

¡Oh, pue - ble - ci - to de Be - lén, Dur -
mien - do en dul - ce paz! Los as - tros bri - llan
so - bre tí con sua - ve cla - ri - dad.
Más en tus quie - tas ca - lles hoy
sur - ge e - ter - na Luz, y la pro - me - sa
de E - ma - nuel se cum - ple en Je - sús.

Una noche obscura y quieta en
Belén, mientras la gente
dormía profundamente,
Dios preparó una maravillosa sorpresa.
Envió a Su Hijo, Jesús, como un bebé.
Jesús es la luz eterna de Dios,
porque Su bondad brilla para siempre.
La gente tenía miedo de quedar
atrapada en la maldad del mundo.
Esperaban que hubiera una salida.
Dios conocía sus esperanzas y temores.
¡El los protegió cuando envió a Jesús!

46 Celebremos Su Gloria

A - llán en el pe - se - bre do

na - ce Je - sús, la cu - na de

pa - ja nos vier - te gran luz, Es -

tre - llas le - ja - nas del cie - lo al mi -

rar, Se in - cli - nan go - zo - sas su

lum - bre a pres - tar.

47 Noche de Paz, Noche de Amor

¡No - che de Paz! ¡No - che de a - mor!

To - do duer - me en de - rre - dor.

En - tre los as - tros que es - par - cen su luz.

Be - lla a - nun - cian - do al ni - ñi - to Je - sús,

Bri - lla la es - tre - lla de Paz____

Bri - lla la es - tre - lla de Paz.____

Paz quiere decir calma, tranquilidad.

La paz de Dios es especial.

Dios nos da Su paz.

En una noche tranquila y especial Jesús nació.

Todo estaba tranquilo alrededor de María,
la madre de Jesús.

Jesús era el niño santo, un bebé especial,
era perfecto, tierno, amable y bondadoso.

El dormía en paz celestial,
la dulce paz dada por Dios.

48 La Primera Navidad

La pri - me - ra Na - vi - dad el⎯ cie-lo se lle-

nó, An - ge - les van can - tan - do a

u⎯ na voz; los pas - to - res en el

cam - po cui - dan - do su grey, es - cu -

cha - ron las nue - vas de Cris - to el Rey.

No - el,⎯ No - el, No -

Noel es una canción de Navidad.
La primera canción de Navidad fue
entonada por los ángeles.
Cantaron en una noche fría a los
pastores que estaban en el campo.
Su canto decía buenas noticias:
¡Jesús, el Rey del pueblo de Dios,
Israel, ha nacido!

el,   No - el,   Hoy   ha   na -

ci - do   el   Rey   de Is - ra - el.

49 Al Mundo Paz

Al mun - do paz! Na - ció Je -

sús; Na - ció ya nues - tro

Rey_____ El co - ra. -

zón_____ ya tie - ne. - luz._____ Y

paz Su san - ta——— grey, Y———

paz Su san - ta——— grey, Y—— Paz———. y

Paz——— Su san - ta grey.

Cuando alguien da un regalo,
la persona a quien se lo da lo recibe.
Dios nos dio a Jesús para que sea nuestro Rey.
El quiere que la tierra reciba a Jesús.
La gente puede hacer un lugar en
su corazón para que Jesús entre y les dé paz.
Ellos pueden prepararle un lugar.
Este regalo es tan bello que
todo lo que Dios hizo,
cielo y naturaleza, estrellas,
árboles y montes,
¡cantan de gozo y tienen paz!

50 Se Oye un Son en Alta Esfera

Se o ye un son en al - ta es - fe - ra

¡En los cie - los Glo - ria a Dios!

Al mor - tal paz en la Tie - rra;

Can - ta la ce - les - te voz.

Con los cie - los a - la - be - mos;

Al E - ter - no Rey can - te - mos;

A   Je - sús   que es   nues - tro   bien,

Con   el—   co - ro   de   Be - lén.

Can - ta   la   ce - les - te   voz,

¡En   los—   cie - los   Glo - ria a   Dios!

continúa en la siguiente página

"Son", significa: "canción" o "melodía".
"Alta esfera" quiere decir "en el cielo".
Los ángeles son mensajeros especiales.
"¡Escuchen!" cantaron desde el cielo,
 "Dios envía paz".
Su misericordia y Su bondad están aquí.
Dios y los pecadores pueden reconciliarse.
"Esto significa que cualquiera que haya hecho lo
malo puede ser amigo de Dios otra vez.
Así que todos los países,
todas las naciones, pueden cantar
así como los ángeles en el cielo,
una fiesta de "buenas noticias".
"¡Gloria a Dios en los cielos!"

viene de la página anterior

51 Angeles Cantando Están

An - ge - les can - tan - do es - tán,

Tan dul - cí - si - ma can - ción.

Las mon - ta - ñas su e - co dan,

Co - mo fiel con - tes - ta - ción.

¡Glo

ri - a a Dios en lo Al - to!

Glory to God in the Highest!

Los ángeles cantaron muy arriba,
arriba en el cielo.
Más arriba de los montes,
más arriba de los campos y prados.
Y un eco llegó de las montañas para
contestar al canto de los ángeles.
Su canto fue: "Gloria in Excelsis Deo,"
que significa ¡"Gloria a Dios en los cielos"!

¡Glo ri - a a Dios en lo Al_____ to!

52 Venid Fieles Todos

Ve - nid, fie - les to - dos,

a Be - lén mar - che - mos de go - zo triun -

fan —— tes y lle - nos de a - mor. Y al Rey de los

cie - los a - llí con - tem - pla - re —— mos.

Fe es creer. Si le creemos a Dios,
somos fieles y estamos llenos de amor.
Si le creemos a Dios,
estamos llenos de gozo.
Sabemos que Dios es el más
grande de todos.
Somos triunfantes.
Aplaudimos por las buenas
noticias de Dios:
¡Jesús, el Rey de Reyes,
el Rey de los ángeles,
ha nacido!

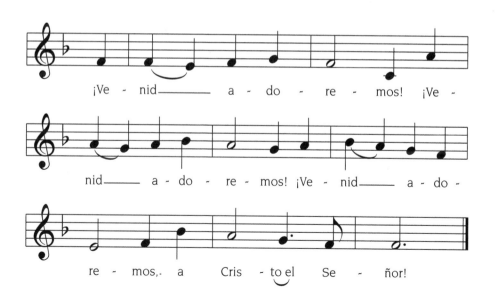

¡Ve - nid_____ a - do - re - mos! ¡Ve -
nid_____ a - do - re - mos! ¡Ve - nid_____ a - do -
re - mos,. a Cris - to el Se - ñor!

53 ¡Jo-Jo-Jo Hosana!

Jo - Jo - Jo - ¡Ho - sa —— na!

Ja - Ja - ¡A - le - lu - ya!

Hosana significa "¡Sálvanos Señor!"
Cuando Jesús montó un burrito hacia
la ciudad de Jerusalén,
la gente gritó: "¡Hosana!"
Le estaban diciendo a Jesús que
creían que El podía salvarlos.
Lo trataron como un rey que
gana una batalla.
¡Y El ganó!
El nos salvó de una vida mala.
Ahora es nuestro Señor.
¡Así que podemos reír y cantar!

4 ¿Te Imaginas en la Cruz a mi Señor?

¿Te i - ma - gi - nas en la cruz a mi Se - ñor?

¿Te i - ma - gi - nas en la cruz a mi Se - ñor?____

Oh_____ Al re - cor- dar Su gran a-mor yo

Un día muy triste, la gente que no quería a
Jesús lo mató en una cruz.
Cuando pensamos en eso, temblamos.
Temblamos porque fue algo feo.
Pero Dios no estaba preocupado.
El sabía que Jesús estaba llevando
la culpa de nuestros pecados
al dar Su vida para que pudiéramos
entrar al reino de Dios.
¡Y Dios hizo que Jesús viviera otra vez!
¡Temblamos al pensar en esto,
porque nos emocionamos!

55 Conozco una fuente

Sé de u - na fuen - te que el pe - ca - do la - va en

tí. Hay un lu - gar que os - cu - ri - dad no pue - de en -

trar. Luz, paz, a - mor y to - do es pa - ra

Una fuente tiene agua fresca.
El agua de las fuentes puede limpiar lo sucio.
Hacer lo malo nos ensucia por dentro.
El pecado es como suciedad en nuestro corazón.
Pero Jesús llevó la culpa por nuestro mal.
El murió en un lugar llamado Calvario
para que Su sangre pudiera lavar
nuestro pecado, así como las
fuentes lavan lo sucio.
Nuestras cargas y preocupaciones son lavadas.
Es como si la noche se hiciera día,
¡o como si un ciego de repente pudiera ver!
¡Nuestros corazones están limpios!

56 Sólo de Jesús la Sangre

¿Quién me pue - de dar per - dón?

Só - lo de Je - sús la san - gre.

¿Y un nue - vo co - ra - zón?

Só - lo de Je - sús la san - gre.

Pre - cio - so es el Rau - dal

que qui - ta to - do mal.____

Cuando nuestras manos se ensucian,
las lavamos y lo sucio se va con el agua.
Cuando pecamos o hacemos algo malo,
nuestros corazones se sienten sucios.
Pero no podemos lavar el pecado con agua.
Jesús es el único que puede quitar
nuestros pecados.
El murió por lo malo que nosotros hacemos.
Así que decimos que Su
sangre lava los pecados.
Estamos limpios.
¡Gracias, Jesús!

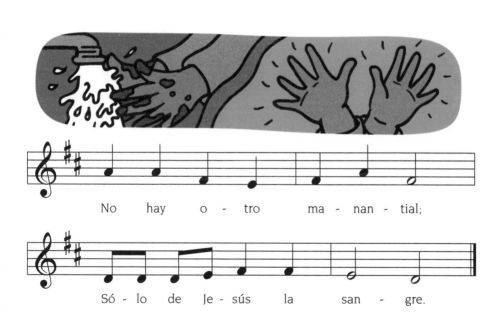

No hay o - tro ma - nan - tial;

Só - lo de Je - sús la san - gre.

57 Cristo Ha Resucitado

Cris - to ha re - su - ci - ta - do.

¡A - le - lu - ya!

An - ge - les y hom - bres can - tan

¡A - le - lu - ya!

Fuer - te y gran - de es el Se - ñor.

¡A - le - lu - ya!

"¡Aleluya!
¡Gloria a Dios!", cantamos llenos de gozo,
¡porque Jesús ya no está muerto!
Nuestro enemigo, el diablo,
quería a Jesús muerto.
Pero no pudo mantenerlo muerto.
Jesús volvió a la vida, ¡ha resucitado!
¡El ganó!¡Eso es triunfo!
Los cielos cantan alabanzas, y en la tierra
contestamos como un eco:
"¡Aleluya!
¡Gloria a Dios!"

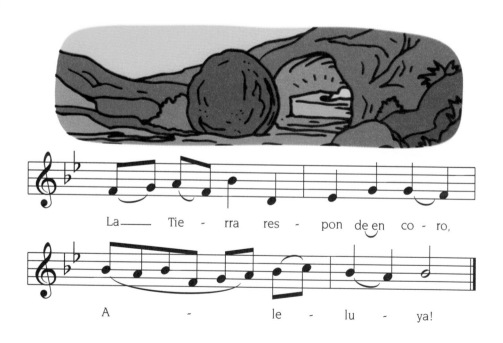

La——— Tie - rra res - pon de en co - ro,

A - le - lu - ya!

58 ¡Jesús Vive!

¡Cris-to vi-vo es-tá!— Cris-to vi-vo es-tá!—

Bue—— nas nue-vas a la hu-ma-ni-dad por

tie-rra y por mar va-mos to-dos a can-tar

¡Cris-to vi-vo es-tá por la e-ter-ni-dad!

59 Cuando Yo Miro la Cruz

Cuan - do yo mi - ro la cruz de Je -

sús don - de Su vi - da. El dió por a -

mor, mi gra - ti - tud no le

Cuando miramos a la cruz,
pensamos en Jesús, el Príncipe de Gloria.
El fue perfecto y nunca hizo algo malo.
Pero fue culpado por el mal que nosotros hacemos.
El murió para hacernos perfectos y buenos.
Por eso nada se puede comparar
 a lo que El hizo.
Por eso no podemos presumir lo buenos que somos.
Nada de lo que tenemos, ganamos o hacemos nos
puede hacer lo suficientemente buenos.
Sólo Jesús, quien murió por nosotros,
nos hace lo suficientemente buenos
para vivir con Dios.

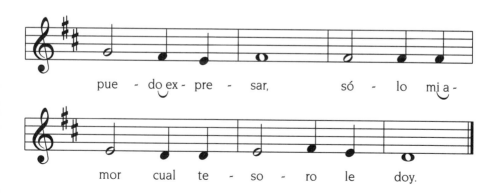

pue - do ex - pre - sar,   só - lo mi a -

mor   cual   te - so - ro   le   doy.

60 Todas las Criaturas del Rey y Dios

Cria - tu - ras to - das del gran Dios, al -
cen su voz cán - ten - le a El. ¡A - le -
lu - ya A - le - lu - ya! Ra - yos de sol cual o - ro
son, y Tu crea - ción per - fec - ta
es. Rey Tú e - res. Te a - la - ba - mos. ¡A - le -
lu - ya! ¡A - le - lu - ya! ¡A - le - lu - ya!

61 Oh, Gloria al Rey

¡Oh Glo - ria al Rey, pre - cio - so Se - ñor! Mi can - ción a Tí es gran — de en a - mor. Es - cu - do Tú e - res, Se - ñor e - ter - nal, sos - tie - nes mi vi - da y en tus bra — zos es - toy.

¡Adoramos a Dios, nuestro Rey!
Lo alabamos y le decimos de Su bondad.
Cantamos agradecidos, dándole gracias.
Dios es como un escudo que nos protege.
El es nuestro defensor, cuidándonos.
Lo llamamos Señor eternal,
porque El es Dios para siempre.
Esplendor, un gran brillo, está alrededor de Dios.
El está rodeado de alabanza,
como nuestros cantos y oraciones lo rodean.
¡Adoramos al Rey !

62 Jubilosos te Adoramos

Ju - bi - lo - sos te a - do - ra - mos,

Dios de Glo - ria y a - mor; Nues-tro co - ra -

zon te da - mos co - mo se a -bre al sol la flor.

Y si nu - bes a pa - re - cen

de Tris - te - za y so - le - dad Dios a Ti pe -

di - mos que las qui - tes y no Vuel - van mas.

¡Adoramos a Dios!
Eso significa que lo amamos muchísimo,
que haríamos cualquier cosa por Él.
Abrimos nuestros corazones como pétalos de flor.
Las flores se abren para absorber el sol.
Nosotros absorbemos la bondad de Dios.
Dudar es no estar seguro de que
Dios es fuerte y real.
Pero el amor de Dios aleja la duda,
como el sol aleja las nubes.
Dios nos da alegría y gozo.
Su gozo es inmortal, dura para siempre.

63 Canta a Dios, Grande Señor

¡Can - ta a Dios que es Se - ñor y crea -

dor de la Tie - rra! Mi al - ma a -

la - ba y se go - za en Su sal - va -

ción._____ Gran - de Se - ñor,

El es - cu - cha mi o - ra - ción;

To - dos a - do - ren - le a - El._____

Todo lo que Dios hizo es Su creación.
Lo alabamos desde nuestra alma,
la parte más profunda de nosotros.
Le alabamos por enviar a Jesús.
Jesús es quien nos salvó de una vida
de problemas y pecado.
El es nuestra salvación.
Ahora podemos acercarnos a Dios.
Es como ir al templo,
una casa especial para la adoración.
Queremos que todos estén con nosotros,
en nuestra adoración y amor.

64 Santo, Santo, Santo

San - to, San - to, San - to, Se - ñor Om - ni - po -

ten - te. Siem - pre el la - bio mí - o lo -

o - res te da - rá. San - to, San - to,

Del trono de Dios,
en el cielo sale una bella canción:
"Santo, Santo, Santo es el Señor Dios Todopoderoso".
Dios es santo: especial y perfecto.
Dios es omnipotente: fuerte y poderoso.
Dios es misericordioso: amoroso y bondadoso.
Dios es tres personas.
Dios es el Padre; Dios es Jesús, el Hijo,
y Dios es el Espíritu Santo.
Los tres juntos hacen la Trinidad.
¡Bendición y alabanza a nuestro
perfecto y especial Dios,
a nuestro fuerte y amoroso Dios
que es tres en uno!

65 El Mundo del Señor

Es-te mun-do cre-ó mi Dios. Y sen-

si - ble- mi o - í - do es, al can - to de la crea-

ción que le a - la - ba pues Dios es El de co-

lo - res lo pin - tó, y per - fu - mes El le

dió, el mar, las plan - tas, a - ves y yo, en

con—— cier - to de a - mor al Rey.

Dios hizo nuestro maravilloso
mundo con forma de esfera, una pelota.
Es una pelota llena de colores, olores
y formas de todo tipo.
Y si escuchamos con atención, podemos
oír la música que Dios puso aquí.
Los grillos cantan.
El agua salpica.
Los pájaros cantan.
Cuando vemos y escuchamos
estas maravillas que Dios hizo o forjó,
sentimos Su descanso y paz.

66 Loores dad a Cristo el Rey

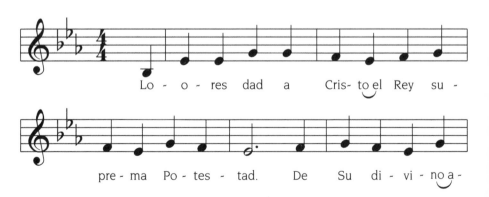

Lo - o - res dad a Cris- to el Rey su -

pre - ma Po - tes - tad. De Su di - vi - no a-

Todos aclamen el poder del nombre de Jesús.
Nos alegramos cuando escuchamos Su nombre.
Su nombre está lleno de poder.
Cuando los ángeles lo escuchan, se inclinan.
Caen postrados.
Sacamos la diadema real.
Traemos la corona del rey.
Coronamos a Jesús, Señor de todo.
Decimos que Jesús lleva la corona.
¡El es Señor y Rey de todo!

67 Cristo Divino, Hijo Unigénito

Cris - to di - vi - no. Hi - jo u - ni -

gé - ni - to gran Cre - a - dor y

fiel sos - tén, siem - pre he de a -

mar - te, siem - pre ser - vir - te, mi

go - zo, mi co - ro - na y bien.

Unigénito significa "único hijo".
Divino significa que viene de Dios.
También significa hermosura o bondad.
Habla de algo que nos hace felices.
Esta canción dice que la luz del sol es bella.
La luz de la luna es bella.
Pero Jesús es más hermoso que todo.
El es bueno.
Nos hace sonreír.
¡No hay nada mejor que Jesús!

"El Señor es más admirable que
cualquier cosa que le rodea.
Oh Señor Dios Todopoderoso,
¿quién como Tú?"

Salmo 89:7,8 (parafraseado)

68 Cristo Está Siempre a mi Lado

Cris - to es - tá siem - pre a mi la - do, sí; Mi

vi - da y go - zo es-tá en El— No hay o - tro a - mi - go más

fiel que El. Mi he - ri da pue - de sa - nar,———

si tris - te es - toy, El vie - ne a - mí;

Nun - ca me de - ja - rá su - frir. Con - mi - go es -tá,

Siem - pre es - ta - rá. mi Je - sús.

Jesús es mi mejor amigo.
¡El es más importante que
cualquier cosa en el mundo!
Por eso digo que Jesús es todo
en el mundo para mí.
El está conmigo cuando trabajo y juego,
y también cuando me caigo y raspo mi rodilla.
Si Jesús no fuera mi amigo,
yo no podría ser hijo de Dios.
Sería como caer sin que hubiera
quién me levantara.
Pero Jesús es mi fuerza; El es fuerte.
¡El es mi mejor amigo y yo soy hijo de Dios!

69 Sublime Gracia

Su - bli - me— gra - cia del Se - ñor que a

mí pe - ca - dor sal - vó—————— Su

Sublime significa "extraordinario".
Una hormiguita cargando una
migajota es algo extraordinario.
Los relámpagos son extraordinarios.
Pero lo más extraordinario de todo
es cuánto nos ama Dios aunque
a veces hagamos cosas malas.
Dios envió a Su Hijo a morir por nosotros
para que podamos ser Sus hijos.
Es como ser hallado después de estar perdido,
o poder ver después de ser ciego.
Nuestro sabio,
perfecto y gran Dios ama a la gente pequeña,
tonta y no tan perfecta.
Eso es gracia. Y es extraordinario.

gra - cia me li - bró,   y   me   guia - rá fe -
liz;   fui   cie - go y me hi - zo   ver._____

70 Alégrate en el Señor

El gozo es un profundo sentimiento de felicidad.
Cuando nos regocijamos,
mostramos nuestro gozo.
Podemos regocijarnos cantando,
bailando, aplaudiendo, saltando, gritando,
¡o simplemente sonriendo!

"Regocijaos en el Señor siempre.
Otra vez digo: ¡Regocijaos!"

Filipenses 4:4

71 Este es mi Mandamiento

Que se a - men to - dos es - te es mi man - da-mien-to, que les doy, que les doy.

Que se a - men to - dos es - te es mi man - da mien-to que les doy, que les doy. Lle - nos

de go - zo es-ta - rán, lle-nos de go- zo es-ta rán;

Un mandamiento es una regla.
Jesús dijo que la regla más importante
es amarnos unos a otros.
Si obedecemos esa regla,
si seguimos ese mandamiento,
seremos verdaderamente felices
por dentro.
Nuestro gozo será completo.

72 El Pequeño David Toca el Arpa

Con - su ar - pa to - ca Da - vid, A - le -

lu, A - le - lu, con - su ar - pa to - ca Da -

vid, A - le - lu,⸺ con - su ar - pa to - ca Da -

vid, A - le - lu, A - le - lu, con - su ar - pa

FINE

to - ca Da - vid, A - le - lu⸺

Pas - tor - ci - llo e - ra el pe - que - ño Da - vid, ma -

tó a Go - liat pues el cre yó en su Dios.——

73 Soy yo, Señor

Soy yo, soy yo, soy yo, Se - ñor___ ha -
blar con - ti - go quie - ro hoy. Soy yo, soy yo, soy
yo, Se - ñor___ ha - blar con - ti - go quie - ro hoy.

FINE

No mi he - ma - no, no mi he - ma - na, pe - ro yo Se - ñor___ ha -
blar con - ti - go quie ro hoy, No mi pa - pi, no mi ma - mi, pe - ro

D.C. al FINE

yo Se - ñor___ ha - blar con - ti - go quie - ro hoy.

Nos gusta hablarles a nuestros amigos.
Nos gusta platicar con nuestra familia.
Se pondrían tristes si nunca les habláramos.
Orar es hablar con Dios.
Dios está triste si olvidamos hablar con El.
El ama escucharnos.
El nunca está muy ocupado.
Si necesitamos hablar con El,
podemos decir que necesitamos orar.
Otras personas a veces oran por nosotros,
pero es nuestra voz la que
Dios quiere escuchar.

74 Siempre Acuérdate de El

Algunas veces, cuando miramos el cielo,
pensamos en el cielo mas allá de las nubes
Algunas personas llaman a
ese cielo la tierra de gloria.
Gloria es como estar en una luz muy brillante.
La luz brillante permite ver las cosas claramente.
En el Cielo, Dios es la luz,
más clara y brillante que el sol.
Podrías pensar que Dios se olvida de nosotros.
Pero El nos recuerda y nos ama siempre,
por eso nunca debemos olvidarlo a El.

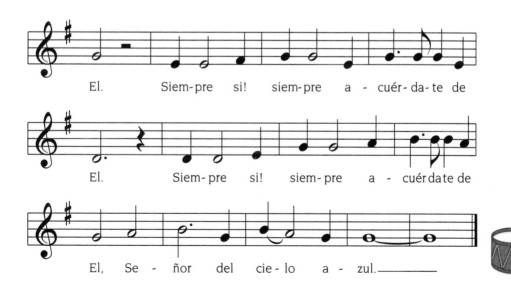

El.   Siem-pre si! siem-pre   a - cuér-da-te de

El.   Siem-pre si! siem-pre   a - cuérda te de

El, Se - ñor del cie-lo a - zul._____

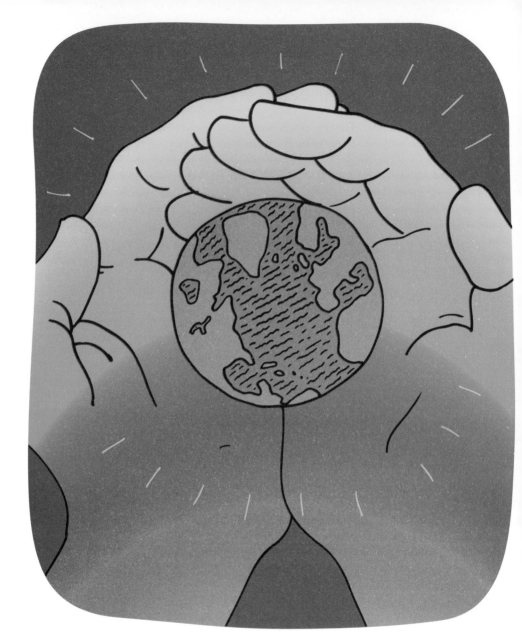

75 Todo el Mundo Está en Sus Manos

Y to-do el mun-do es-tá— en Sus ma-nos, To-do el

mun-do es-tá— en Sus ma-nos to-do el mun-do es-tá—

en Sus ma-nos pues to-do fué he-cho por El.

2. El tiene a los pequeños.

INDICE POR CATEGORIA

Devoción

Enseñanzas de Jesús

Espiritual

Navidad

Pascua

INDICE POR TITULO